C0-AWF-363

Francine Ruel

L'enfant dans les arbres

D'APRÈS L'ŒUVRE DE

MARC-AURÈLE FORTIN

L'œuvre de Marc-Aurèle Fortin et le pouvoir de l'imaginaire

Le peintre Marc-Aurèle Fortin (1888-1970) était un homme à l'allure sévère et austère. Mais par-delà les apparences, cet esprit indépendant était un être sensible et vulnérable. Toute sa vie, il aura été en quête de lui-même, cherchant sans relâche des voies nouvelles pour exprimer la passion artistique qui l'animait. S'il connut de réels succès et bénéficia d'une notoriété certaine, il reste qu'il dut composer pendant plus de vingt ans avec une santé fragile. Quand il s'éteignit en 1970 à l'hôpital de Macamic, il était pauvre, cul-de-jatte et aveugle depuis quelques années. Cette triste image de ses dernières années ne saurait toutefois nous faire perdre de vue qu'il fut avant tout un merveilleux peintre de l'instant qui passe, des changements atmosphériques, des maisons patinées par le temps et des villages d'autrefois. Il fut sans contredit à l'affût des contrastes, à mi-chemin entre la ville et la campagne, fasciné tout autant par les fragiles bateaux de pêche de la Gaspésie que par la carrure des cargos transatlantiques dans le port de Montréal. Mieux que quiconque, il savait capter l'impression fugace d'un arc-en-ciel, d'un éclair, d'une percée de soleil, voire d'un coup de vent. Grâce à cette sensibilité unique à la mouvance des éléments, Fortin peignit avec virtuosité plusieurs tableaux lyriques et grandioses où la nature se fait plus grande que nature.

Le Musée du Québec, à Québec, possède aujourd'hui la plus importante collection publique de l'œuvre de l'artiste, une collection représentative des différentes facettes de sa production, qu'il s'agisse d'huiles, d'aquarelles ou de gravures. Cette collection compte 47 œuvres acquises de 1937 à 2000 et s'échelonnant de 1917 à 1952. Pour rédiger son conte intitulé *L'enfant dans les arbres*, Francine Ruel a bien sûr puisé abondamment – quoique de façon non exclusive – dans nos collections. Du paysage académique *Automne canadien* de 1917 à une œuvre de facture quelque peu maladroite peinte vers 1950, *Vieille Maison à Ste-Rose*, Francine Ruel aura su trouver toutes les couleurs nécessaires à son récit, recourant avant tout à divers chefs-d'œuvre par lesquels l'artiste aura fait sa marque dans les années 1920, 1930 et 1940. Du côté de la gravure, la magie de son écriture aura transformé l'imposante *Renommée* du monument à sir George-Étienne Cartier érigé en 1919 sur les flancs du mont Royal en une statue d'ange aérien, magnifique, ravissant et protecteur.

Pour faire habiter les lieux et les arbres, le principal défi de Francine Ruel aura été de s'inspirer d'une banque visuelle où la présence humaine est à peine évoquée çà et là par des silhouettes aussi fugitives que minuscules. Son conte fait un peu penser à une petite pièce de théâtre se déroulant dans un espace clos que jamais l'on ne voit. Et pourtant, au fil des lignes et des paragraphes, on ne cesse de voyager en ville comme à la campagne, tout en mesurant le rôle essentiel de Vava, la mystérieuse sœur d'Émile. Mais au fond, tout est possible quand on sait regarder ou imaginer : on peut changer le monde et accéder à ses merveilles. Et c'est ce qui fait qu'au fil d'arrivée, nous avons droit à un récit émouvant et empreint de poésie, une sorte de célébration de l'univers montréalais, de ses villages environnants ainsi que du pays de Charlevoix, sans oublier les villages de pêche de la Gaspésie, à une époque où tout change.

Quant au vieux Mathias, il nous fait un peu penser à Fortin lui-même, mais en moins bourru et en moins solitaire. Tout comme l'artiste aura su affirmer sa différence, Mathias ne manque pas d'insister sur l'importance de savoir créer jour après jour et de laisser place à l'imaginaire, quoi qu'en pensent les gens épris de conventions et de conformisme. À son jeune protégé Émile, il sait faire découvrir l'importance de la différence, lui apprenant à se méfier des jugements hâtifs et à aller au-delà des apparences. N'est-ce pas là une des grandes leçons de l'art des peintres visionnaires ? Merci à Francine Ruel de nous rappeler avec finesse et intelligence les richesses inhérentes aux gestes du quotidien et à ces petites choses qui améliorent la vie, favorisent le dialogue et cultivent l'espoir.

JOHN R. PORTER, C.Q.
Directeur général

L'enfant dans les arbres

L'homme était allongé et regardait par la fenêtre proche de son lit. La porte de la chambre s'ouvrit, mettant fin à sa rêverie. L'infirmière qui entra prit le temps d'observer le patient devant elle. La soixantaine avancée, l'homme paraissait encore jeune malgré la blancheur de ses cheveux en pagaille. Il refusait toujours de les coiffer. À quoi bon ! disait-il. Ses yeux étaient d'un bleu délavé. Des yeux qui ont beaucoup observé. Et de larges mains qui ont passé leur vie à travailler.

Tout en maintenant la porte grande ouverte, Simone s'adressa à l'homme, qu'elle semblait bien connaître.

– Mathias, je vous amène un jeune compagnon de chambre. Il n'est pas très bavard pour l'instant, mais ça vous fera de la compagnie.

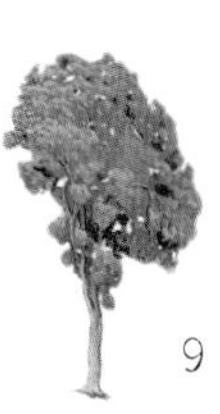

Le vieil homme sourit tout en suivant les mouvements des deux préposés aux malades qui poussaient une civière sur laquelle reposait un jeune garçon. Celui-ci semblait beaucoup souffrir. Il ne devait pas avoir plus de quatorze ans. Son corps était énergique. Il avait le teint clair, une bouche charnue, des joues fiévreuses et une tignasse abondante, d'un noir de jais.

Les deux préposés eurent du mal à transporter le jeune homme de la civière au lit, tant il se débattait et criait. Ses yeux étaient remplis de colère et, en même temps, semblaient affolés. Simone veillait au confort de son jeune patient en l'incitant à plus de calme. Lorsqu'il fut allongé et que les deux infirmiers eurent quitté la chambre, l'infirmière se pencha vers le garçon et lui parla doucement.

– Émile, je sais que tu n'as pas envie de rester ici, mais si tu veux guérir, il faut que tu sois patient et surtout que tu restes calme.

Tout en disant cela, elle s'appliqua à placer, avec la plus grande délicatesse, les deux mains d'Émile, enveloppées de bandages, par-dessus les couvertures.

– Ça ne te plaira pas beaucoup ce que je vais faire, mais il faut que j'immobilise tes mains. Tu ne dois absolument pas bouger.

Elle commença à attacher les mains du garçon à des sangles fixées au lit. Et pour faire diversion, elle se tourna vers le vieil homme et présenta à Émile son voisin de chambre.

– C'est Mathias. Il est très gentil.

Pour toute réponse, Émile tourna la tête en direction du mur, ignorant tout à fait son voisin. L'infirmière continua, sans tenir compte de son geste.

– Si tu as besoin d'aide, tu le mentionnes à Mathias et il nous appelle. Ça va comme ça ?

Le vieil homme sourit à Simone.

– Je vais bien m'en occuper, Garde Myrand. Vous pouvez compter sur moi.

La voix enrouée par les sanglots, Émile cria qu'il n'avait besoin de personne. L'infirmière recommanda à son petit patient d'essayer de dormir un peu et quitta la pièce en disant qu'elle reviendrait le voir plus tard.

Le silence emplit tout l'espace de la chambre blanche. Émile tira de toutes ses forces sur les lanières qui retenaient ses mains, mais il dut s'arrêter tant la douleur était insupportable. Le vieil homme regarda encore quelques instants en direction du lit voisin. Il entendit le jeune garçon qui sanglotait, impuissant. L'homme savait qu'Émile ne pourrait même pas essuyer ses yeux à cause de ses mains blessées et attachées ou même cacher son visage pour pleurer en paix, alors pour ne pas gêner le garçon, il se tourna de nouveau vers la fenêtre et poursuivit sa contemplation.

Émile finit par s'assoupir quelques heures. Il refusa de manger ce qu'on lui apportait pour le souper. Garde Simone usa de tous les stratagèmes possibles pour lui faire avaler les aliments. Il fermait systématiquement les lèvres chaque fois qu'elle essayait de porter la nourriture à sa bouche. Le fait qu'il doive être nourri à la cuillère n'aidait en rien.

– Je sais que tu n'es pas un bébé, mais je n'ai pas le choix. Comment veux-tu t'alimenter ? Tes mains sont hors d'usage.

Et elle ajouta, le plus doucement du monde :

– Pour le moment, plus tu nous aideras, plus tu retrouveras vite la mobilité de tes mains et plus rapidement tu redeviendras autonome.

– Je veux m'en aller chez nous.

– Moi aussi, Émile. Ma journée a été longue et mes enfants m'attendent. Tu ouvres la bouche, un point c'est tout.

Habituée à la résistance de certains patients, elle avança avec autorité la cuillère. Émile ouvrit la bouche à contrecœur. Visiblement, il se mourait de faim et était bien content de manger, même s'il trouvait que ça n'avait aucun goût. Pour terminer, garde Myrand l'obligea à prendre des médicaments.

– C'est pour soulager la douleur et te permettre de passer une meilleure nuit.

Puis elle sortit sans faire de bruit.

Émile ne tarda pas à s'endormir de nouveau. La noirceur n'était pas encore installée lorsque Mathias entendit son jeune voisin crier. Il s'extirpa de son lit et s'approcha du garçon, croyant qu'il avait besoin d'aide. Le corps d'Émile était constamment secoué de soubresauts. Dans son sommeil, peuplé de cauchemars, il appelait quelqu'un d'une voix inquiète. Mathias tendit l'oreille pour pouvoir venir en aide à Émile, perdu dans son délire incompréhensible.

– Vava ! Vava !... Petite Vava !

Le vieil homme mit sa main apaisante sur le front fiévreux du garçon et attendit qu'il se calme avant de retourner s'allonger.

Le lendemain, Émile était maussade et se plaignait beaucoup de la douleur, malgré les soins que lui prodiguait le personnel de l'hôpital. Lorsque Mathias lui demanda gentiment comment l'accident était arrivé, le garçon resta sur la défensive et répondit que ça ne le regardait pas. Mathias n'insista pas et se contenta de regarder par la fenêtre.

Vers la fin de l'après-midi, un préposé vint fermer les rideaux et préparer les patients pour le repas du soir. Lorsqu'il fut sorti, Émile demanda au vieux monsieur, sur un ton amer, si « passer tout son temps devant la fenêtre » était « la seule activité à faire dans cette chambre ». Ce dernier lui répliqua que c'était la chose la plus fascinante du monde. Et il commença à décrire, dans le menu détail, tout ce qu'il avait observé par la fenêtre au cours de la journée. Le mont Royal, qu'on pouvait voir au loin, était baigné de soleil par intermittence. De longs rayons balayaient la terre. Et puis l'ange semblait ravi.

– Quel ange ? demanda Émile.

– La statue qui surplombe le parc. L'ange est magnifique, gigantesque. On dirait qu'il flotte dans l'air. Il nous protège, tu sais. Tu ne l'as jamais vu ?

Sur un ton bourru, Émile lui dit qu'il habitait le village de Sainte-Rose et que c'était la première fois qu'il venait dans la grande ville.

– Pour une fois que tu viens à Montréal, c'est dommage que ce soit à l'hôpital. Il y a tellement de jolies choses à voir.

Pour toute réponse, Émile lui dit qu'il s'en foutait. Mathias ne tint pas compte de l'humeur peu avenante de son voisin et continua de plus belle.

– Je ne l'ai pas vu parce qu'il était trop loin, mais j'ai entendu monsieur Coco.

N'obtenant aucun commentaire, il poursuivit :

– Tu sais bien, monsieur Coco qui vient en ville avec sa charrette pour vendre ses œufs. Il crie à tue-tête, un peu comme s'il chantait une rengaine : Cocos ! Des beaux cocos, des petits, des gros, des cocos à vendre ! Qui veut mes beaux cocos ?

Son imitation de la chanson de la poule qui vend ses œufs était assez réussie, mais ne sembla pas divertir Émile, qui garda les yeux au plafond comme si toute cette démonstration l'ennuyait prodigieusement.

Mathias continua son récit en parlant d'un train qui était passé à trois heures précises.

– Il y avait au moins sept wagons. Je les ai comptés. Il s'en allait en direction de Québec.

Et puis, comme s'il avait oublié un détail important, il parla du vent qui avait soufflé une partie de la matinée.

– Les gens luttaient pour avancer. Une dame a même perdu son chapeau. Il a roulé sur le trottoir à une vitesse folle. L'homme qui l'accompagnait a couru tant qu'il a pu pour le rattraper, mais le chapeau soulevé par la bourrasque se sauvait chaque fois qu'il réussissait à le rejoindre. C'est finalement son chien qui a rapporté le chapeau à la dame. Il était en lambeaux.

Mathias interrompit son récit. Sans même le regarder, il était convaincu que son petit voisin venait de rire à l'idée du chien et du chapeau ruiné. Après un long silence, Émile lui avoua, comme une confidence, qu'il s'était brûlé les mains en jouant avec des allumettes.

– Tu n'es pas un peu vieux pour jouer avec le feu ?

– ...

– Comment c'est arrivé ?

Émile se terra dans un silence obstiné et ne desserra les dents que pour avaler son repas.

Durant la nuit, Émile fut de nouveau assailli par la fièvre. Il marmonna encore une fois des mots incompréhensibles et lorsque Mathias s'approcha pour l'aider, le garçon tendit devant lui ses mains attachées en hurlant très fort un prénom que l'homme reconnut pour l'avoir entendu la veille.

– Vava... Vava...

Au lieu d'appeler l'infirmière de nuit, Mathias épongea le front d'Émile et lui fredonna un vieil air pour le réconforter.

– C'est la poulette grise
Qui a pondu dans l'église
Elle a pondu un p'tit...

Dans son sommeil, Émile poursuivit la comptine.

– ... p'tit coco

– Pour Émi..., commença le vieil homme.

Mais Émile termina le quatrain autrement :

– Pour Vava qui va faire...

Et Mathias conclut doucement la chanson.

– ... qui va faire... dodo

Très tôt le lendemain matin, Mathias, intrigué, demanda à Émile qui était Vava. Émile ne fut pas long à réagir.

– Qui vous a parlé de Vava ?

– C'est toi, dans ton sommeil.

Émile réagit comme si on venait de lui voler quelque chose de très précieux.

– Aïe ! Vous ne dormez jamais, Monsieur le Curieux ! Quand vous ne pouvez pas regarder par la fenêtre, vous regardez les autres dormir.

Il aurait continué sur sa lancée si ce n'avait été l'heure de la visite médicale. Le docteur Langlois, accompagné de Simone, venait d'entrer pour voir ses patients. L'homme à la blouse blanche se rendit d'abord au chevet de Mathias. Il prit sa pression, examina le fond de son œil et en conclut que tout se déroulait bien.

– Votre pression est bien contrôlée. Votre diabète est stable. Vous pourrez sortir bientôt.

Il se tourna vers Émile.

– Et ici, tout se passe bien ?

Simone lui tendit le dossier d'Émile qui était accroché au pied du lit. Elle lui expliqua que le patient était un peu agité, qu'il faisait encore de la fièvre. Le docteur Langlois s'assit au bord du lit et détacha les sangles qui tenaient le garçon prisonnier.

– Moi aussi, je serais agité si on m'attachait de la sorte.

Il remit les lanières à garde Myrand, en lui disant que son jeune patient n'en aurait plus besoin. Il défit les bandages d'Émile et examina ses mains sous tous les angles.

– Hum ! C'est beau, ça. Ces mains-là ont besoin de prendre l'air. Les plaies vont mieux cicatriser à l'air libre.

Il ajouta pour Émile, comme un secret qu'uniquement eux deux pouvaient partager, qu'il devrait essayer de faire bouger ses doigts pour qu'ils retrouvent un peu de souplesse.

– Mais pas trop. Sinon, garde Simone va nous chicaner.

Il passa sa main dans les cheveux du garçon, qui se défendit de cette affection malgré la gentillesse du médecin.

Lorsque l'infirmière et le docteur Langlois sortirent pour continuer leur tournée matinale, Émile se redressa un peu et observa ses doigts rougis et enflés, qu'il n'arrivait pas encore à bouger. La peau se soulevait par endroits, mais il constata que c'était déjà mieux qu'au début. Il se recoucha, comme s'il venait de faire un terrible effort.

Mathias en profita pour aller à la pêche.

– Vava, est-ce qu'elle était avec toi quand l'accident est arrivé ?

– Oui. Euh, non... non ! Elle... Oui, elle était avec moi. Puisque vous voulez tout savoir, je vais vous le dire. Vava, c'est Valérie, ma petite sœur. Elle a huit ans. Elle... Elle était là... et elle a eu très peur. C'est pour ça que je n'en parle pas.

Mathias émit un simple « hum, hum ! » Mais il n'était pas dupe des hésitations de son compagnon de chambre.

– Vous ne me croyez pas ? demanda Émile, aussitôt sur la défensive.

Mathias ne répondit pas. Émile se retrancha derrière son habituel « je m'en fous » et bouda une partie de la journée. Le vieil homme retourna, quant à lui, à son occupation quotidienne à la fenêtre. À plusieurs reprises, il entendit Émile soupirer d'ennui. Pour le distraire, il attira son attention sur ce qui se passait à l'extérieur. Il lui parla d'un bateau qui venait d'entrer dans le port, et des hommes qui ramassaient à la pelle le charbon qui arrivait d'Angleterre.

– Leur visage est tout noir, à l'exception de leurs yeux qui sont encore plus brillants dans ce masque de suie. Ils travaillent dur.

Mathias confia à Émile qu'il aurait aimé prendre la mer, qu'il ne l'avait jamais fait. La curiosité du garçon fut piquée.

– Pourquoi vous ne le faites pas, si vous en avez envie ?

Mathias expliqua qu'il se faisait vieux maintenant et que sa santé ne le lui permettrait sûrement pas.

– Et toi, la mer, est-ce que ça t'attire ? Tu n'aimerais pas ça, être marin ?

– Mon père dit tout le temps que je ne sais pas quoi faire de mes dix doigts.

Et sans s'en rendre compte, Émile laissa échapper qu'il ne partirait pas si loin pour ne pas laisser Vava toute seule. Il ajouta, des larmes dans la voix :

– Elle a besoin de moi.

Et même s'il fit tout pour les retenir, les larmes du garçon coulèrent toutes seules sur ses joues. Une fois le chagrin apaisé, Émile s'ouvrit doucement à Mathias, très attentif.

Émile raconta Vava. Vava, sa petite Vava. Elle est drôle, Vava. Non, pas drôle dans le sens de « comique », mais dans le sens de « spéciale ».

– Elle fait des choses comme personne. Des affaires qui n'ont pas de bon sens.

– Il y a beaucoup d'enfants qui font des choses particulières, dit Mathias.

Émile répliqua le plus sérieusement du monde que les « choses particulières » que faisait Vava faisaient peur aux gens. Mathias respecta le long silence de son jeune ami et attendit qu'il poursuive l'histoire qui lui demandait tant d'efforts.

Vava ne voyait pas clair et personne ne s'en était aperçu. Comme elle était toute petite, on l'avait toujours placée dans les premiers rangs, à l'école. Elle arrivait ainsi à lire au tableau sans trop de difficulté. Mais elle tombait souvent sur le trottoir et dans les escaliers. Elle distinguait mal les cadres de portes et se blessait fréquemment.

– Mon père trouve donc que Valérie est énervée pour une petite fille. Pour lui, une petite fille, c'est sage et ça joue avec ses catins. Et puis un jour, quelqu'un a suggéré à mes parents de lui faire voir un spécialiste de la vue. On a découvert qu'elle était très myope, de naissance. Depuis ce temps-là, elle porte de grosses lunettes. Ça lui fait un regard étrange. Vava est ravie, elle. Quand elle se regarde dans le miroir, elle dit que ses yeux sont comme des poissons bleus qui flottent derrière des hublots.

Jusque-là, Mathias ne trouvait rien de bien anormal à la petite Vava. Il pensait : « Elle a de l'imagination, c'est tout. » Et puis Émile relata un événement qui, de toute évidence, le troublait.

– Le jour où elle a mis ses lunettes pour la première fois, Vava est sortie de la maison en courant. À la nuit tombée, elle n'était pas encore revenue. On l'a cherchée partout pendant des heures. Tout le village a participé aux recherches. On l'a enfin trouvée, le soir, très tard. Elle se tenait devant un grand arbre. Elle y avait passé toute la journée, sans bouger. Vous vous rendez compte ! Elle est restée là, des heures et des heures, sans manger.

Et quand on avait voulu la ramener à la maison, elle s'était mise à pleurer. Elle ne voulait pas quitter l'arbre. Elle disait qu'elle ne voulait pas le perdre de vue.

Émile ajouta, comme pour excuser le comportement de sa sœur :

– C'est la première fois qu'elle voyait un arbre en entier. Un arbre avec ses feuilles.

Vous comprenez? Avant, à cause de sa vue, elle ne voyait qu'un tas vert. C'est ce qu'elle m'a dit, juste du vert. Jamais le détail des feuilles.

Elle s'était accrochée à l'arbre en serrant le tronc avec ses petits bras. Elle avait fait une crise pas possible et les parents d'Émile étaient très gênés devant les gens réunis autour d'eux. Les voisins les regardaient d'une drôle de manière. Finalement, Émile lui avait promis qu'elle reviendrait le lendemain et que l'arbre serait encore plus beau en plein jour, à la lumière. Elle l'avait suivi. Mais à partir de cet incident, plus rien n'avait été pareil...

Émile se tut, comme essoufflé.

Était-ce le fait d'avoir parlé de Vava ? En tout cas, cette nuit-là, le jeune garçon dormit paisiblement, d'un sommeil sans cauchemars.

Dans les jours qui suivirent, entre les traitements pour ses mains, les repas qu'il prenait encore à la cuillère, les petits sommes réparateurs et les observations sur l'extérieur que lui rapportait religieusement Mathias, Émile raconta à son voisin de chambre, par petites tranches, l'étrange histoire de Vava. De cette petite sœur qu'il tentait de protéger contre la méchanceté des gens. Parce que les gens n'étaient pas toujours gentils avec elle.

Dans la voix d'Émile, de la colère se mêlait à la peine que lui causait cette situation. Il trouvait que Vava ne faisait rien pour s'aider.

– Chaque jour, elle invente quelque chose de nouveau qui confirme son côté anormal.

Étonné, Mathias lui demanda s'il croyait vraiment que sa sœur n'était pas normale.

– Moi, non ! Mais tout le monde dit ça. Ils disent qu'elle est bizarre dans la tête. Même mon père est tout le temps fâché contre elle. Et elle n'arrête pas de faire des niaiseries.

– ... Comme ?

Émile relata les repas où son père entrait dans de grandes colères parce que Valérie jouait avec sa nourriture. Il avoua, en souriant :

– Des fois, c'est vraiment joli ce qu'elle fait. À l'aide de sa fourchette, elle fabrique des sortes de paysages avec son manger. Elle fait des montagnes avec sa purée de pommes de terre. Elle creuse un trou sur le dessus, y dépose un morceau de beurre et le regarde fondre et couler comme de la lave. Ou encore, elle place sa purée de navets, de carottes ou d'épinards en petits rectangles. Elle dit que c'est comme des pacages. Les asperges, les bouquets de brocoli et de chou-fleur sont autant d'arbres qui bordent sa montagne de patates. Les carottes sont des troncs d'arbres coupés. Ils servent de clôtures. Elle fait comme des tableaux avec sa nourriture et ça met mon père en rage. Elle va souvent se coucher en se passant de souper.

Émile reprit :

– Mon père dit que la nourriture est « assez dure à gagner. C'est pour la manger, pas pour jouer avec. » Et comme la nouvelle lubie de Valérie, c'est de se fabriquer un nid avec des couvertures qu'elle installe sur une branche d'arbre, mon père l'a menacée : « Si tu veux vivre à tout prix comme un oiseau, on va te servir des vers dans ton assiette. »

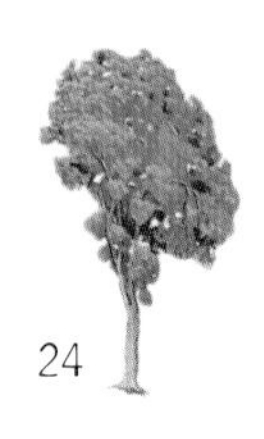

Le garçon savait bien que son père n'irait pas jusque-là : il aimait sa fille. Mais elle dérangeait avec ses comportements inhabituels. En écoutant le récit d'Émile, Mathias comprit que le père des deux jeunes était un peu dépassé par les événements. Il reprochait à son fils d'encourager sa sœur à faire ses « niaiseries » au lieu de l'en empêcher.

– Après tout, c'est toi le plus vieux, disait-il. Tu devrais mieux t'en occuper.

Émile assurait pourtant qu'il faisait tout pour cela, mais qu'il ne pouvait pas surveiller sa petite sœur tout le temps.

– Il faut toujours courir après elle. On ne sait jamais où elle est. La plupart du temps, elle est grimpée dans un arbre. Et des arbres, à Sainte-Rose, il y en a des centaines. J'ai toujours peur qu'elle tombe. Vava se tient debout sur une branche. Elle dit que c'est la seule façon de voir plus loin.

Et, timidement, Émile avoua à Mathias qu'il ne comprenait pas toujours le comportement étrange de sa sœur. Les voisins l'avaient surnommée « la Folle aux arbres ». À l'école, on se moquait également de lui. Il ne savait plus comment défendre sa sœur. Il avait beau expliquer à ses camarades de classe que c'était un jeu de petite fille, qu'elle s'amusait, tout le monde continuait de la traiter de « malade mentale ».

Le vieil homme devinait toute l'angoisse qui étreignait Émile, cloué sur son lit et impuissant à protéger sa sœur. Qui la défendait pendant qu'il était à l'hôpital ? Pour essayer de calmer les tourments de son jeune ami, Mathias fit ce qu'il savait le mieux faire : raconter les paysages qui lui tenaient à cœur. Cet après-midi-là, il emmena Émile se promener, en pensée, dans une nature étrange, luxuriante. Faite de verts et de bleus, de roches, de mousses argentées, de ruisseaux qui coulaient doucement et de ciels immenses. Au léger frottement qu'il entendit, Mathias comprit qu'Émile glissait ses doigts sur le drap de toile, comme s'il dessinait un paysage.

Le lendemain, Simone apporta à son petit patient des feuilles de papier, des crayons de cire et des crayons de couleur pour qu'il délie ses doigts engourdis. Le résultat fut d'abord malhabile, mais peu à peu les esquisses prirent forme. Mathias refusait de voir les dessins que lui tendait Émile. Il préférait qu'il lui en fasse la description.

– J'aime mieux entendre ce que toi, tu as mis dans ton dessin. C'est ce que toi, tu as imaginé qui a de l'importance. Plus tard, je pourrai te dire ce que moi, j'y vois.

Il ajouta tout bas : « Beaucoup plus tard. »

Émile n'était pas convaincu, mais il accepta finalement les règles du jeu que lui proposait le vieil homme. Après plusieurs essais et « barbouillages », il réussit à tracer une maison, avec un arbre de petite taille au premier plan. Il décrivit son dessin à Mathias.

Le vieux monsieur en conclut que c'était une maison triste, habitée par un secret qui faisait peur. « C'est une maison qui pleure », pensa-t-il. Mais, au fil de la conversation, Émile, qui se sentait de plus en plus en confiance avec son compagnon de chambre, parla de sa vraie maison, de celle que lui et Vava habitaient à Sainte-Rose. Et Mathias réalisa qu'elle n'était pas du tout comme celle du dessin.

C'était une belle maison claire, avec une grande galerie et une clôture peinte en blanc. D'immenses arbres l'entouraient. Le vieil homme devina qu'en dessinant sa maison aux couleurs sombres, c'est son propre chagrin qu'Émile avait exprimé. En ébauchant un arbre de petite taille, il avait ramené à des proportions moins envahissantes le goût démesuré de sa sœur pour les arbres.

Le dimanche qui suivit, Simone entra, tout heureuse, dans la chambre.

– J'ai une surprise pour toi, jeune homme.

Et elle ouvrit la porte pour laisser passer une femme dans la trentaine, avec une robe à fleurs et un petit chapeau sur ses cheveux noirs. Elle tenait dans ses mains un paquet. Un homme au visage buriné par le travail au grand air la suivait, hésitant. Il était endimanché et semblait mal à l'aise dans cette chambre. Pour cacher sa gêne, il triturait le bord de son chapeau qu'il avait à la main. C'étaient les parents d'Émile. Ils embrassèrent timidement leur fils. Émile s'empressa de leur présenter son voisin de chambre. Le père et la mère du garçon hochèrent la tête en guise de salutation. Mathias se dit ravi de les rencontrer. Pour préserver l'intimité du jeune patient et de ses visiteurs, Simone glissa sur la tringle un long rideau blanc qui forma une cloison entre les deux lits.

La mère d'Émile lui remit son paquet. Il contenait des pantoufles, deux pyjamas propres et du sucre à la crème qu'elle avait fait pour lui. Il était ravi. Il adorait cette gâterie. Elle lui suggéra de développer ses surprises lorsqu'ils seraient partis.

Sans plus attendre, Émile demanda des nouvelles de Valérie. Sa mère hésita un instant et attendit l'approbation de son mari avant de dire que la petite allait bien. Elle se sauvait encore pour se réfugier auprès des arbres. Elle disait que c'étaient ses seuls amis.

– Tu lui manques beaucoup, chéri. Dépêche-toi de guérir. Elle va mieux quand tu es là.

Il apprit également que la dernière fantaisie de Vava était de soigner les arbres malades. Tous les arbres des alentours qui avaient des entailles, des meurtrissures dues au froid de l'hiver, et même ceux sur l'écorce desquels on avait gravé des *je t'aime* à l'intérieur d'un cœur, étaient l'objet de son attention et de ses soins. Elle avait pris tous les bandages de la pharmacie et en avait entouré les troncs blessés. Rien pour empêcher les voisins de se moquer d'eux. La mère d'Émile excusa sa petite fille en disant que ça allait finir par lui passer.

– Quand elle va se mettre à penser aux garçons, elle va oublier tout ça.

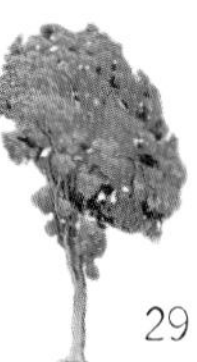

Émile trouvait sa mère bien optimiste. On ne changerait pas Valérie comme ça. Son père ne parlait pas, mais Émile voyait bien qu'il était triste. Que sa petite fille lui donnait du souci et qu'il ne savait pas quoi faire pour la sortir de ses « folleries », comme il disait. Émile changea de sujet pour alléger l'atmosphère. Il dit à son père qu'il serait bientôt sur pied et qu'il pourrait l'aider à rentrer les foins.

– Ça ne sera pas de refus, mon gars. C'est pas l'ouvrage qui manque.

Simone vint annoncer la fin des visites.

– Il ne faut pas trop fatiguer nos malades.

La maman d'Émile serra son grand dans ses bras et lui dit de guérir vite. Son père, plus timide, lui fit un salut de la main. Émile aurait bien aimé que son père le prenne aussi dans ses bras et lui dise qu'il l'aime.

Une fois ses parents partis et le rideau replacé, Émile s'empressa d'ouvrir son colis, tandis que Mathias, le nez à la fenêtre, restait perdu dans ses pensées. Tout heureux que ses mains servent à quelque chose d'utile, le jeune garçon défit le nœud et la ficelle, non sans peine, et déchira le papier brun qui entourait son paquet. Il y trouva la boîte en métal remplie de sucre à la crème et en dévora un morceau sur-le-champ. Il trouva également les pantoufles et les deux pyjamas annoncés par sa mère. En les déplaçant, un livre tomba sur le lit. Il était camouflé entre les vêtements. C'était une aventure de Bob Morane, son héros préféré. Émile était fou de joie. C'était *La revanche de l'Ombre jaune*. En ouvrant la première page, il découvrit une feuille de chêne. Un clin d'œil de Vava. Il feuilleta le livre et une autre feuille s'en échappa, d'érable à sucre cette fois. Il secoua le livre et une pluie de feuilles de toutes les variétés tomba en chute libre. Des feuilles d'érable rouge, de bouleau, de tremble, de peuplier, de saule, de tilleul firent l'automne en avance sur le drap blanc du lit. Des feuilles que Vava avait cueillies et fait sécher avec précaution avant de les dissimuler – peut-être en cachette de ses parents – entre les pages du bouquin prévu pour Émile. Ce dernier était comblé et se hâta de montrer ses cadeaux à son ami Mathias. Au lieu de regarder les feuilles, le vieil homme en prit une dans une main et la caressa de l'autre. Après, il huma les doigts qui avaient effleuré le feuillage. Il sourit. Et juste à l'odeur, il réussit à identifier chaque essence d'arbre. Sans se tromper. Émile était impressionné.

– Pourquoi vous faites ça ?

– Parce qu'il faut faire usage de tous ses sens. Tu as un nez aussi, et des oreilles, et une langue.

Pendant que Mathias exposait sa théorie des sens négligés au profit de la vue, Émile imita le geste qu'il venait de lui voir faire. Il fut tout surpris de l'odeur très forte qui émanait de la feuille. C'est vrai qu'on pouvait voir un arbre à son odeur. Cette odeur de feuille lui fit apparaître un instant Vava riant de plaisir, avec ses grandes lunettes sur le bout du nez. Mathias ajouta, en faisant bouger ses doigts devant les yeux d'Émile :

– Et le toucher ! Les doigts peuvent sentir, deviner, avoir des sentiments. Comme toi, maintenant que tu dessines, tes doigts ressentent ce qu'il y a en toi. Tes doigts expriment tes émotions en formes et en couleurs.

Mathias fit remarquer à Émile que ce qu'il avait dit de sa maison ne ressemblait en rien à ce qu'il avait dessiné. Le jeune garçon, tout étonné, comprit que ses doigts avaient traduit, sur le papier, le chagrin et le désarroi qu'inspirait à toute la maisonnée le comportement étrange de Vava. Il avait étalé en couleurs sombres sur la feuille ce qu'il ressentait en lui. Ça servait donc à ça, dessiner ?

– Entre autres choses, dit Mathias. Si on regarde de près un tableau, on y découvre presque toujours un secret bien dissimulé. Celui du peintre. C'est à nous de savoir bien regarder pour le trouver. C'est la même chose pour les livres. Si on est capable de lire entre les lignes d'une histoire, il y a des cadeaux précieux qui sont là pour nous, les lecteurs.

Le vieil homme chercha un exemple plus près d'Émile pour l'aider à mieux comprendre.

– C'est un peu ce que fait ta petite Vava. Elle se cache dans ses arbres et derrière ses histoires pour que vous l'aidiez à trouver son secret. Elle-même ne sait pas ce que c'est. Elle est trop jeune encore.

L'homme poussa un peu plus loin sa réflexion.

– Tu sais, nos sens ont leur intelligence propre. Il faut juste la développer pour être bien.

– Mon père s'occupe de la terre. Il laboure, bêche et fait pousser le foin. Vous voulez dire que son intelligence est dans ses mains ?

– Si tu veux. C'est sa façon de s'exprimer, de créer.

– Il fait de beaux meubles aussi. Ils sont doux quand on les touche et ils sentent la cire d'abeille.

– Et ta maman ? demanda Mathias.

– Ma mère fait les meilleures tartes du monde et ses cheveux sentent doux quand elle vient m'embrasser le soir. Je n'ai même pas besoin de la voir, je la reconnais à cette odeur. Son ouïe est très développée : elle m'entend tout le temps quand je vais prendre des galettes dans la jarre à biscuits !

Tout en riant, Émile prit la boîte en fer-blanc qui contenait le sucre à la crème de sa mère, confectionné pour lui avec le cœur et les mains. Il présenta la boîte à Mathias et s'en fourra un morceau dans la bouche.

– Goûtez ! Ça va nous rendre intelligents !

Ils éclatèrent de rire. Et lorsque l'infirmière entra dans la chambre pour leur apporter le repas du soir, la boîte était à moitié vide. Mais les deux hommes, le grand et le petit, étaient de fort bonne humeur.

Après sa toilette, Émile enfila un des pyjamas propres apportés par sa mère. Dans la poche de la veste, il sentit deux petites billes. Avec ses doigts, encore un peu raides, il alla chercher ce qui s'y cachait. Deux petits glands avaient été déposés là, par Vava. Il rit et se les engouffra dans la bouche. Il les poussa avec sa langue, chacun dans une joue, et tenta d'expliquer à Mathias que Vava lui avait appris à « parler écureuil ». Ça n'était pas très facile de s'exprimer avec ces fruits de chêne dans la bouche. Émile se demandait bien comment faisaient les écureuils.

Garde Myrand vint éteindre la lumière et, en voyant Émile la bouche pleine, confisqua la boîte de sucre à la crème.

– Puisque tu n'es pas raisonnable, elle restera au poste des infirmières jusqu'à demain.

Elle ne comprit pas du tout pourquoi les deux patients de la chambre 456 riaient ainsi. Elle se dit en sortant que ces deux-là se portaient plutôt bien pour des malades et qu'ils allaient pouvoir bientôt sortir.

Même lorsque la chambre fut plongée dans le noir, Émile continua sa conversation avec Mathias. Deux gamins qui parlaient à voix basse pour ne pas se faire prendre.

– Mathias, vous avez déjà regardé les feuilles d'un arbre par en dessous ?

– Euh, non... Qu'est-ce que tu veux dire par en dessous, petit ?

Émile expliqua que, souvent, lui et sa sœur s'allongeaient par terre, la tête collée à un tronc d'arbre, et regardaient des heures durant les feuilles à l'envers.

– C'est pas si bête. On ne voit jamais le dessous des feuilles. Il faut regarder par en dessous pour le voir.

Mathias lui dit qu'il allait essayer ça, lorsqu'il serait chez lui. Ça devait être agréable.

– Vous devriez essayer aussi de faire des arbres fromage. Quand ma sœur est privée de souper, je lui apporte en cachette des tranches de fromage. Son plus grand plaisir, c'est de faire des trous dans les tranches avec ses dents. C'est comme si elle fabriquait un arbre. Elle dit qu'il y a des arbres qui sont comme ça. Moi, je n'en ai jamais vu. Mais elle, elle voit des choses que les autres ne voient pas. C'est peut-être ses lunettes hublots qui font cet effet-là.

Mathias sourit.

– Si les lunettes pouvaient donner autant d'imagination qu'en a Vava, ce serait une bonne chose !

Ce soir-là, Émile s'endormit le cœur plus tranquille, un peu rassuré sur la singularité de sa sœur. Mais une question restait présente à son esprit. Qu'allait-elle faire de sa différence ? Saurait-elle faire quelque chose de ça, quand elle serait grande ?

Durant la nuit, Émile fit un rêve étrange. L'automne approchait et toutes les feuilles des arbres tombaient en même temps. D'un seul coup. Comme si un vent s'était levé sur la forêt et avait dégarni, d'un seul souffle, tous les feuillus. Il y avait des feuilles de livres d'aventures qui se mêlaient aux feuilles d'arbres et tombaient des branches. Valérie se trouvait au milieu de ce tourbillon vert et blanc. Elle se jeta dans l'amoncellement de feuilles en riant aux éclats et invita son frère à la rejoindre. Mais il était trop occupé à ramasser le foin et à ranger les bûches de bois. Puis une odeur de fumée s'infiltra dans le rêve. Il y avait de la boucane partout. Émile découvrait tout à coup que le tas de feuilles était écarlate. Mais en fait, ce n'était pas à cause de la saison que les feuilles rougissaient. Vava était au milieu des flammes ! Tout le monde criait. Il n'y avait que Valérie qui continuait de s'amuser comme une enfant. Elle se roulait dans les flammes et ne semblait pas souffrir ; au contraire, elle rigolait de plaisir. Émile se précipita vers elle pour la sortir du brasier. Au moment où il allait la rejoindre, il se réveilla en sursaut. Il était en nage, à bout de souffle.

Mathias était assis sur le bord de son lit et le regardait.

– Ça va, petit gars ?

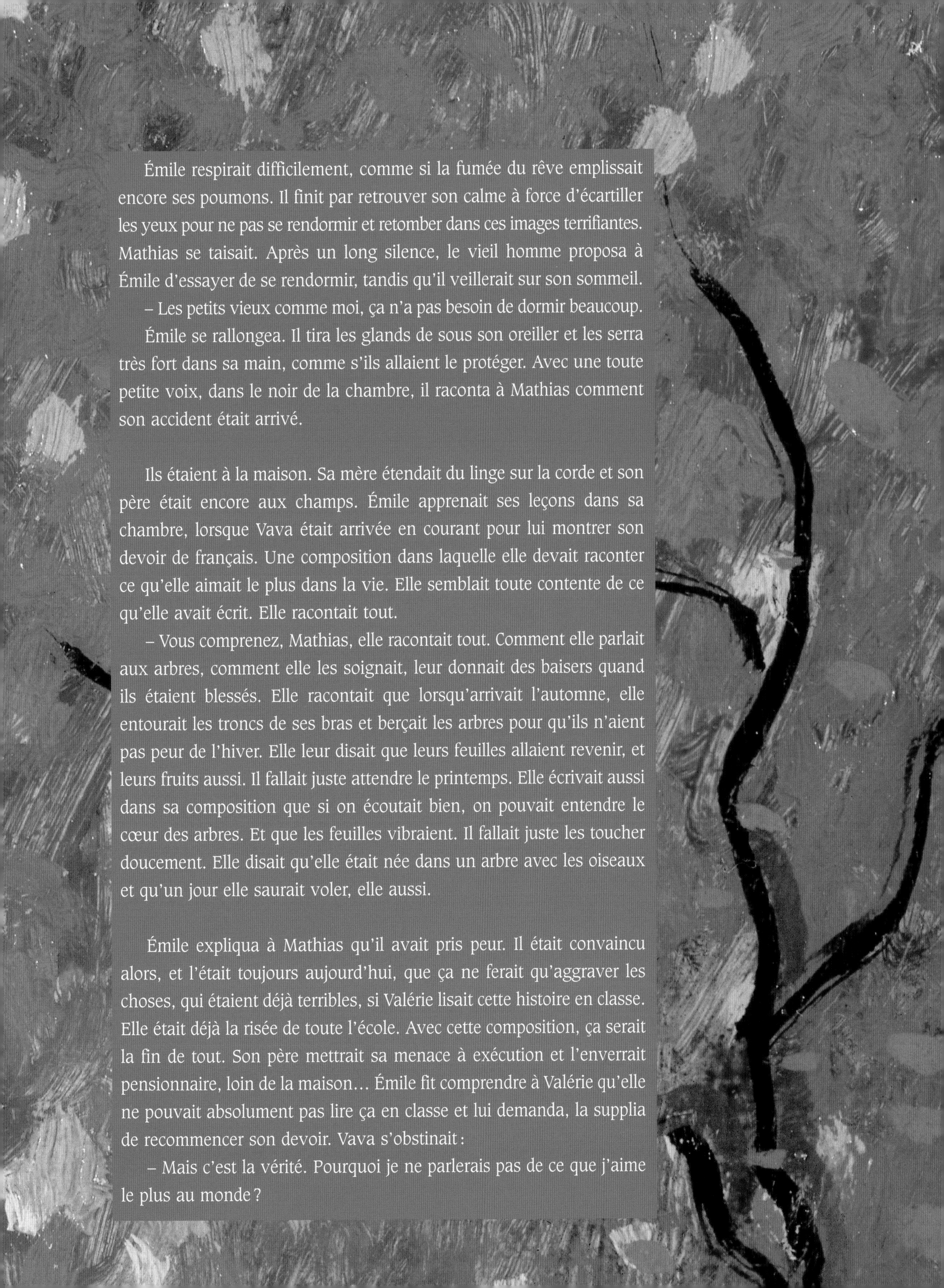

Émile respirait difficilement, comme si la fumée du rêve emplissait encore ses poumons. Il finit par retrouver son calme à force d'écartiller les yeux pour ne pas se rendormir et retomber dans ces images terrifiantes. Mathias se taisait. Après un long silence, le vieil homme proposa à Émile d'essayer de se rendormir, tandis qu'il veillerait sur son sommeil.

– Les petits vieux comme moi, ça n'a pas besoin de dormir beaucoup.

Émile se rallongea. Il tira les glands de sous son oreiller et les serra très fort dans sa main, comme s'ils allaient le protéger. Avec une toute petite voix, dans le noir de la chambre, il raconta à Mathias comment son accident était arrivé.

Ils étaient à la maison. Sa mère étendait du linge sur la corde et son père était encore aux champs. Émile apprenait ses leçons dans sa chambre, lorsque Vava était arrivée en courant pour lui montrer son devoir de français. Une composition dans laquelle elle devait raconter ce qu'elle aimait le plus dans la vie. Elle semblait toute contente de ce qu'elle avait écrit. Elle racontait tout.

– Vous comprenez, Mathias, elle racontait tout. Comment elle parlait aux arbres, comment elle les soignait, leur donnait des baisers quand ils étaient blessés. Elle racontait que lorsqu'arrivait l'automne, elle entourait les troncs de ses bras et berçait les arbres pour qu'ils n'aient pas peur de l'hiver. Elle leur disait que leurs feuilles allaient revenir, et leurs fruits aussi. Il fallait juste attendre le printemps. Elle écrivait aussi dans sa composition que si on écoutait bien, on pouvait entendre le cœur des arbres. Et que les feuilles vibraient. Il fallait juste les toucher doucement. Elle disait qu'elle était née dans un arbre avec les oiseaux et qu'un jour elle saurait voler, elle aussi.

Émile expliqua à Mathias qu'il avait pris peur. Il était convaincu alors, et l'était toujours aujourd'hui, que ça ne ferait qu'aggraver les choses, qui étaient déjà terribles, si Valérie lisait cette histoire en classe. Elle était déjà la risée de toute l'école. Avec cette composition, ça serait la fin de tout. Son père mettrait sa menace à exécution et l'enverrait pensionnaire, loin de la maison… Émile fit comprendre à Valérie qu'elle ne pouvait absolument pas lire ça en classe et lui demanda, la supplia de recommencer son devoir. Vava s'obstinait :

– Mais c'est la vérité. Pourquoi je ne parlerais pas de ce que j'aime le plus au monde ?

Émile avait alors promis à sa sœur de l'aider à refaire sa composition. Mais Vava n'en démordait pas. À bout d'arguments, il avait pris les allumettes et tenté de mettre le feu à sa copie. Elle avait voulu la récupérer en tirant de son côté. Et par un mouvement qu'Émile avait fait pour empêcher Valérie de se brûler, le feu s'était propagé sur ses propres manches à une vitesse folle. Les feuilles étaient en cendres sur le plancher et ses mains étaient embrasées.

– C'est comme ça que c'est arrivé. Je voulais juste... Pourquoi elle ne fait pas les choses comme les autres enfants? Pourquoi elle n'agit pas comme tout le monde?

Mathias vint s'asseoir au pied du lit et donna cette réponse à Émile:

– Parce qu'elle n'est pas comme tout le monde, Émile. Elle est unique. Comme toi. Parfois, dans la vie, on fait des choses que les autres ne comprennent pas. Nous-mêmes, on ne sait pas toujours pourquoi on agit comme ça. On comprend plus tard.

Les jours suivants, Émile n'arrêta pas de dessiner. Mathias se dit que le jeune garçon cherchait des réponses à ses questions. Il réclama de plus en plus de papier et de crayons de couleur. Ses mains, en voie de guérison, étaient nettement plus agiles. Garde Myrand et le docteur Langlois étaient contents de l'évolution de leur jeune patient. Un après-midi, Simone apporta à Émile les couvercles en bois léger des boîtes de cigares vides que son mari n'utilisait plus.

– Ça te fera comme un vrai tableau, expliqua-t-elle.

Émile était tellement absorbé par ses dessins qu'il ne s'aperçut pas que Mathias ramassait ses objets personnels et les déposait dans sa valise, ouverte sur son lit. Lorsqu'il releva la tête, Mathias avait déjà son imperméable sur le dos. Il attendait seulement que son jeune ami ait terminé pour lui dire au revoir. Émile aurait souhaité qu'il ne parte pas. Mais lui aussi allait bientôt rentrer chez lui. Avant de quitter la chambre, le vieil homme dit au garçon qu'il était content qu'il ait compris quoi faire de ses dix doigts.

– Il faut juste savoir quoi faire avec ce qui nous différencie des autres et ne pas avoir peur.

Et il ajouta :

– Tu diras à ta sœur qu'il faut qu'elle continue à écrire de belles histoires. Moi, j'aurais envie de les entendre. Chaque fois que je verrai un arbre, j'irai voir si elle n'est pas cachée derrière.

Il serra très fort Émile dans ses bras. Ce dernier lui remit les glands offerts par Valérie. Mathias, ému, promit qu'ils seraient toujours dans sa poche. Il laissa un baiser dans les cheveux du jeune garçon.

– Un jour, j'irai voir tes tableaux et je saurai ce qu'il y a dans ton cœur. Je saurai bien te trouver.

Garde Myrand vint aider le vieil homme avec sa valise. Avant de franchir la porte, Mathias suggéra à l'infirmière de mettre Émile à sa place, près de la fenêtre.

– Ça va l'aider à faire ses dessins.

À la tombée du jour, Simone installa son jeune patient dans le lit voisin. Elle avait refait le lit et s'apprêtait à transporter les effets personnels du garçon et tout l'attirail de dessin dans la table de nuit près de la fenêtre. Émile se souleva sur un coude pour voir dehors. Il n'était pas assez grand. Il se hissa sur ses genoux. Et se tourna brusquement vers Simone.

– Mais... c'est quoi, ça ?

Garde Myrand s'approcha de la fenêtre.

– Quoi, Émile?

Le garçon se mit carrément debout sur le lit pour mieux voir et pointa son doigt en direction de la fenêtre.

– Ça. Il n'y a qu'un mur de briques.

Simone ne comprenait pas où Émile voulait en venir. Ce mur avait toujours été là.

– Où sont passés les paysages que Mathias voyait ?

– ... Voyait ? Qu'est-ce que tu veux dire, Émile ? Mathias n'a jamais vu dehors pour la bonne raison qu'il ne voit pas. Il est aveugle depuis des années.

Et elle comprit, à ce moment-là, qu'Émile ignorait tout de la cécité du vieil homme.

Émile finit par rentrer chez lui, guéri et heureux de retrouver les siens. Surtout sa petite Vava, qui lui fit une fête très colorée et très bruyante. Au lieu d'être inquiet de ces démonstrations d'amour, le jeune garçon en fut très touché. Il ne voyait plus sa petite sœur de la même manière. Il savait maintenant qu'elle possédait un talent rare. Ça s'appelait la passion. Il fallait juste savoir quoi en faire. Il allait tenter de le faire comprendre à son père. Comme lui avait dit le vieil homme: «Pour être heureux dans la vie, il faut s'accrocher de toutes ses forces à un pinceau, à une charrue, à un crayon, à une pelle.» Émile parla à Vava de sa rencontre avec Mathias. Il lui montra les dessins qu'il avait faits à partir des paysages imaginaires de son ami. Toutes ces images, ce monde imaginaire étaient en lui, un peu comme les histoires de Vava dormaient dans sa tête et ne demandaient qu'à en sortir.

Et c'est un peu grâce à un vieux monsieur aveugle qu'un jour, beaucoup plus tard, on pourra lire, dans un livre écrit par Vava et illustré par Émile, une histoire qui commencera ainsi:

«Il était une fois, au pays des arbres géants, un jeune garçon et une fillette, habillés de longs manteaux orange. Lorsqu'ils sortaient se promener dans la rue principale, les gens, derrière leurs fenêtres, les enviaient un peu, parce que ces deux-là possédaient un secret. Ces deux enfants savaient créer...»

Œuvres de Marc-Aurèle Fortin illustrant L'enfant dans les arbres

L'Orme à Pont-Viau, entre 1925 et 1930
Huile sur toile
137 x 166,4 cm
Collection du Musée du Québec (37.20)

Bord de route, Sainte-Rose, 1923 (?)
Huile sur panneau de fibre de bois
122 x 99 cm
Collection du Musée du Québec (83.02)

Vue du Mont-Royal, vers 1927
Aquarelle et crayon sur papier
48,2 x 34 cm
Collection du Musée Marc-Aurèle-Fortin

Paysage à Hochelaga, entre 1930 et 1935
Aquarelle et mine de plomb sur papier
32,5 x 49,5 cm
Collection du Musée du Québec (93.294)

Vue du Mont-Royal, vers 1920
Eau-forte
15,2 x 19 cm
Collection du Musée Marc-Aurèle-Fortin

Voie ferrée à Hochelaga, 1930 (?)
Pastel sur papier
47,2 x 60,9 cm
Collection du Musée du Québec (77.390)

Le port et le pont, vers 1920
Eau-forte
15,2 x 32,8 cm
Collection du Musée Marc-Aurèle-Fortin

Fin d'octobre (à Sainte-Rose), vers 1934
Huile sur toile
98,5 x 81,3 cm
Collection du Musée du Québec (2000.223)

Arbre à Lafrenière, vers 1962
Huile sur masonite
152 x 122 cm
Collection du Musée Marc-Aurèle-Fortin

Gaspésie, L'Anse aux Gascons, 1942 (?)
Huile sur toile
89,5 x 102,8 cm
Collection du Musée du Québec (81.48)

Vieille Maison à Sainte-Rose, vers 1950
Huile sur aggloméré
122 x 183 cm
Collection du Musée du Québec (79.185)

Paysage à Sainte-Rose, vers 1930
Huile sur aggloméré
65,3 x 72,7 cm
Collection du Musée du Québec (37.21)

Hochelaga, entre 1930 et 1935
Aquarelle et fusain
34,5 x 50,8 cm
Collection du Musée du Québec (97.146)

Ombres d'été, vers 1935
Huile sur panneau de fibre de bois
121,8 x 99 cm
Collection du Musée du Québec (56.318)

À Sainte-Rose, vers 1932
Aquarelle sur papier
49,5 x 68,5 cm
Collection particulière

Paysage, entre 1920 et 1925
Aquarelle et mine de plomb sur carton
56,9 x 78,6 cm
Collection du Musée du Québec (93.293)

Les Grands Arbres, vers 1926
Huile sur toile
125 x 96 cm
Collection Power Corporation du Canada
Photo : Roch Nadeau

Baie-Saint-Paul, vers 1940
Aquarelle, fusain et mine de plomb
sur papier marouflé sur carton
74,5 x 54,9 cm
Collection du Musée du Québec (89.276)

Étude à Sainte-Rose, vers 1932
Huile sur carton
24 x 26,3 cm
Collection du Musée du Québec (57.33)

Automne canadien, Petite-Rivière Cachée de Sainte-Thérèse, 1917 (?)
Huile sur toile
60,8 x 91,3 cm
Collection du Musée du Québec (50.45)

Le peintre Marc-Aurèle Fortin à l'œuvre
(Photo Musée Marc-Aurèle Fortin, Montréal).

Marc-Aurèle Fortin (1888-1970) occupe une place enviable dans l'histoire de l'art du Québec et du Canada. Il voit le jour à Sainte-Rose, sur l'île Jésus au nord de Montréal, le 14 mars 1888. Son père est avocat, mais il se montrera peu sensible aux intérêts artistiques de son fils. Malgré les réticences de son milieu, Marc-Aurèle suivra des cours de Ludger Larose et d'Edmond Dyonnet au Monument-National de Montréal à compter de 1904. Au gré des emplois occasionnels qu'il décroche dans l'Ouest canadien et aux États-Unis, il acquiert peu à peu la conviction qu'il fera carrière comme artiste. Dans cette perspective, il étudie d'abord à l'Art Institute of Chicago, puis à New York et à Boston. Il reçoit toutefois une formation plutôt traditionnelle, qui le gardera méfiant par rapport à certaines avancées de l'art de son temps. De retour à Montréal en 1914, il amorce sa carrière en se consacrant avant tout au paysage.

Avec les années 1920, il manifeste une vive fascination pour les grands arbres et il crée des œuvres dont la facture se révèle à bien des égards audacieuse. Déjà, il se distingue par une production empreinte de force, de sensibilité et de fraîcheur. Son sujet de prédilection, c'est l'île de Montréal, dont il apprécie les mutations et les contrastes ; les quartiers d'Hochelaga, de Montréal-Est, du port et du centre-ville vus à distance retiennent particulièrement son attention.

Fortin s'intéresse aussi à la gravure à compter des années 1930. À la suite du décès de son père en 1933, un héritage lui permet d'entreprendre un voyage d'études en Europe. À son retour, il participe régulièrement à des expositions ; sa notoriété ne cesse de croître. Elle est confirmée en 1938, alors qu'il obtient le prix Jessie-Dow. Quatre ans plus tard, il est reçu à l'Académie royale canadienne. En 1944, le Musée du Québec (connu à l'époque sous le nom de Musée de la Province) expose ses œuvres en même temps que celles d'Henri Hébert, d'Adrien Hébert et d'Edwin Holgate. Enfin, en 1946, la présentation de ses estampes à la Galerie L'Art français de Montréal coïncide avec la consécration de son œuvre gravé.

Mais après ces sommets, voilà que de lourds nuages envahissent l'horizon.

Si l'artiste peint toujours beaucoup en multipliant les expériences, il reste que sa production est très inégale et que le maintien de son intérêt pour le paysage a pour effet de le marginaliser aux yeux de certains critiques de l'art contemporain. Fortin souffre en outre du diabète et il néglige sa santé, de sorte que sa carrière prend bientôt les allures d'un roman noir et tragique. Il perdra les deux jambes au cours des années 1950 et sombrera dans la misère après avoir imprudemment confié ses affaires à un exploiteur sans scrupules qui dilapidera son patrimoine et multipliera les faux. Contre vents et marées et malgré une vue déclinante, Fortin persistera à peindre avec un succès bien inégal. En 1967, il pourra enfin échapper à l'emprise de son exploiteur grâce à l'intervention de René Boissai, qui fondera quelques années plus tard le Musée Marc-Aurèle-Fortin de Montréal. L'artiste sera hospitalisé à l'hôpital de Macamic en Abitibi, où il s'éteindra le 2 mars 1970.

L'apport singulier de Fortin sera mis en lumière à l'occasion de la parution d'une monographie de Guy Robert en 1976 ; le Musée du Québec présentera alors une rétrospective de ses œuvres. En 1988, notre institution récidivera pour saluer le centième anniversaire de la naissance de l'artiste. La même année, l'exposition *L'estampe au Québec, 1900-1950* saluera la contribution de Fortin à l'histoire de la gravure québécoise dans la première moitié du XXe siècle. Enfin, plus près de nous, et toujours au Musée, l'exposition *Le paysage québécois, 1910-1930* de 1997 sera l'occasion de revoir avec bonheur quelques-uns de ces grands arbres qui comptent parmi les chefs-d'œuvre les plus émouvants et les plus attachants de Marc-Aurèle Fortin.

J. R. P.

Musée du Québec
Parc des Champs-de-Bataille
Québec (Québec, Canada) G1R 5H3
Tél.: 418 643-2150
www.mdq.org

Directeur général: John R. Porter
Directeur des collections et de la recherche: Yves Lacasse
Directrice des expositions et de l'éducation: Line Ouellet
Directeur de l'administration et des communications: Marc Delaunay

Production
Service de l'édition, Direction de l'administration et des communications
Éditeur délégué: Pierre Murgia
Éditeur délégué adjoint: Louis Gauvin
Photos: Musée du Québec, par Patrick Altman et Jean-Guy Kérouac, sauf indication contraire
Conception graphique et infographie: Autrement Communications
Impression: Caractéra

ISBN 2-551-21620-6
Dépôt légal – Bibliothèque nationale du Québec, 2002
Bibliothèque nationale du Canada, 2002

Imprimé au Québec, Canada

Le Musée du Québec est une société d'État subventionnée
par le ministère de la Culture et des Communications du Québec.

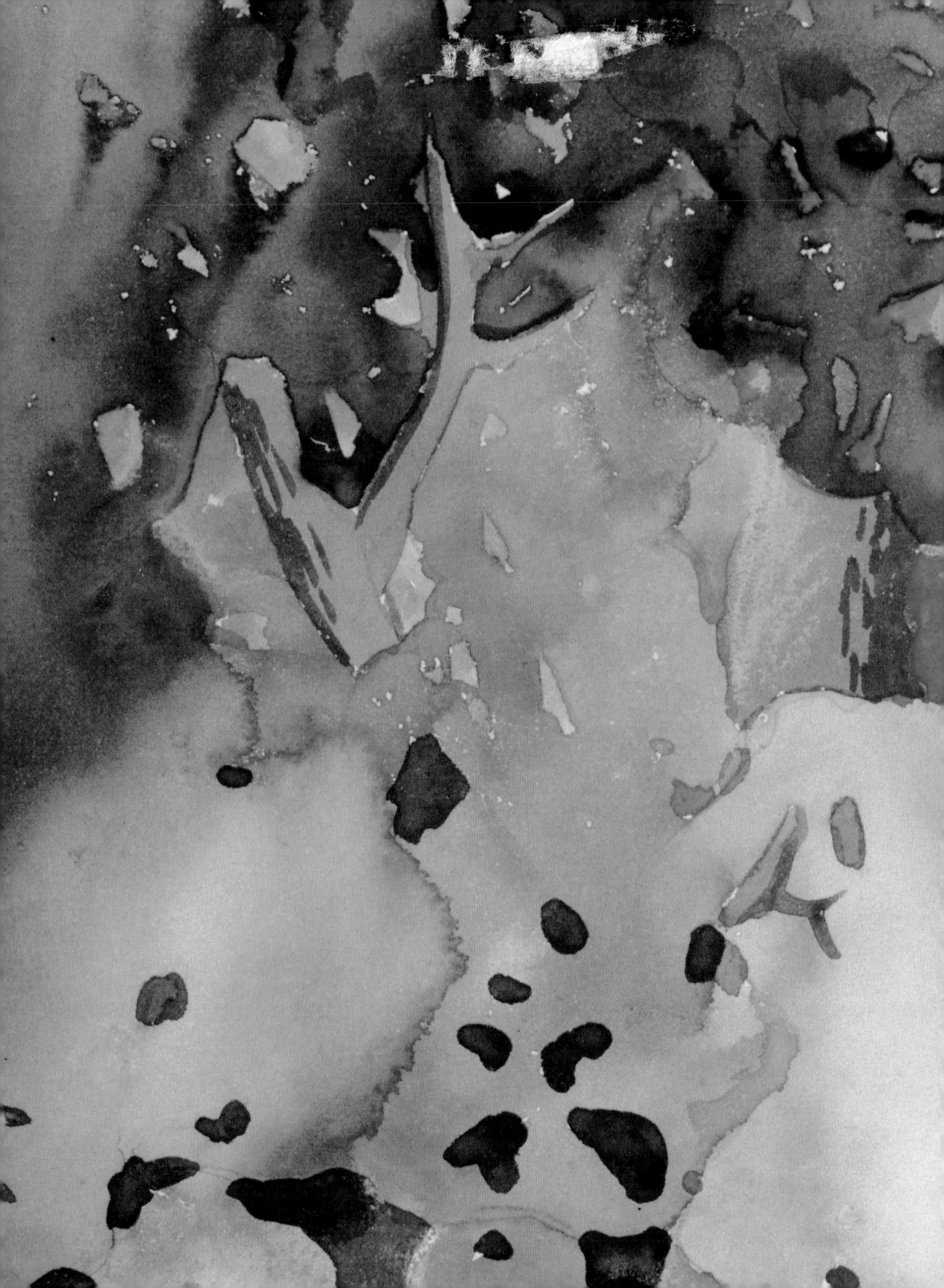